J'ai tue mon p

Mini Syros Polar

Couverture illustrée
par Benjamin Adam

ISBN : 978-2-74-850902-1
© Syros, 1993
© 2010 Éditions SYROS, Sejer,
25, avenue Pierre-de-Coubertin, 75013 Paris

J'ai tué mon prof !

Patrick Mosconi

1

Un joyeux brouhaha accueillit Lambert, dit Moustaches, le professeur de dessin.

Il jeta sa sacoche sur le bureau et posa ses fesses sur la chaise.

– Taisez-vous ou je colle !

Un vague tumulte lui fit écho, vite suivi d'un silence de salle d'attente de dentiste.

– Il est vraiment pénible, Moustaches, en ce moment ! chuchota Phill.

– T'inquiète, aujourd'hui on va se marrer... murmura Julien.

– Bon ! Nous allons continuer le travail sur la perspective. Prenez des feuilles de papier millimétré.

Puis il se leva pour aller au tableau. Enfin, il essaya...

La chaise avait suivi le mouvement, collée à son pantalon. La pub à la télé ne mentait pas : efficace, cette colle ! Ridicule, Moustaches !

Dans la classe, un éclat de rire énorme.

L'étonnement du prof fut vite balayé par la colère qui figea ce visage d'ordinaire si résigné. Ses moustaches à la gauloise frémissaient et ses grands yeux tristes s'étaient rétractés : deux petites billes mauves et brillantes.

D'un geste brusque, il décolla la chaise de son fondement et le pantalon se déchira : il portait un slip bleu pâle.

Re-rire des élèves, écroulés sur et sous les tables.

— Qui a fait ça ? hurla Lambert, ivre de rage, tout en enfilant avec précipitation son imperméable pour dissimuler le trou aux regards des élèves hilares.

De la honte se mêlait à la colère.

Les rires avaient cessé, remplacés par un silence de gêne et aussi de crainte.

Pour une fois, Lambert semblait vraiment hors de lui.

– Alors ? aboya-t-il.

Le suspense se prolongea quelques secondes avant que Julien ne levât le doigt, un sourire pas vraiment insolent aux lèvres. Un sourire quand même...

Le reste de la classe poussa un soupir de soulagement : le danger d'une punition collective était écarté.

En trois enjambées, Lambert fut sur Julien. Il le souleva brutalement et lui balança une gifle sonore.

– Dehors, petit merdeux ! On réglera ça au conseil de classe !

Dans la cour, même le soleil semblait maussade. Caché derrière des nuages grisâtres, il ressemblait à une lune qui aurait manqué de vitamine C.

Julien, tout seul dans son coin, commençait à réaliser l'étendue des dégâts.

D'abord, il n'avait pas digéré la baffe. À l'heure qu'il était, tout le collège devait être au courant. La honte ! Mais le plus grave, c'était la menace du conseil de classe. Il ne pouvait pas se permettre de se faire renvoyer. Sa mère serait folle de colère.

Et de chagrin, surtout.

Le soir, seul dans sa chambre, il avait vainement cherché un moyen pour se sortir de là. Et puis, comme une illumination, une réplique entendue dans un film, à la télé, s'imposa à lui comme une bouée de sauvetage.

Dans le film, le héros disait à son fils : « Quand on veut une chose, il faut se concentrer et y penser très fort... Et alors, tout peut arriver. »

Julien se persuada qu'il avait trouvé là le bon moyen pour se débarrasser de ses ennuis : Lambert devait tomber malade avant la semaine prochaine. Avant le conseil de classe.

Toute la nuit, il se concentra sur cette idée.

Toute la nuit, il répéta à voix basse :

– Lambert va être malade, je le veux. Lambert va être malade...

Au petit matin, fatigué et presque soulagé, il était certain que son professeur de dessin ne pourrait pas participer au conseil de classe du vendredi suivant. Une certitude absolue. C'est avec un sourire satisfait et un peu idiot qu'il avala deux bols de chocolat et quatre tartines devant sa mère, étonnée et ravie.

2

Deux jours plus tard, le bruit courait que monsieur Lambert était souffrant. Julien, pas étonné, se vanta auprès de Phill de la puissance de son cerveau :

– Tu te rends compte, je l'ai rendu hors service rien qu'avec ça ! dit-il en montrant du doigt le haut de son crâne.

Phill, sceptique, n'avait pas répliqué. Il n'arrivait pas à savoir si Julien plaisantait.

Le lendemain, le proviseur annonça, avec des trémolos dans la voix, que monsieur Lambert était décédé d'une crise cardiaque...

Stupéfaction.

Julien en resta muet.

Lambert... MORT.

Puis ce fut la panique. Une folle panique. Il tremblait, grelottait et transpirait en même temps. Un mélange de bouffées de chaleur et de froid polaire.

Phill, qui se trouvait derrière Julien, lui souffla à l'oreille :

– Tu y es allé un peu fort avec ta cervelle qui tue...

Julien s'était retourné lentement, des larmes coulaient sur son visage défait. D'une petite voix méconnaissable, il murmura :

– Je suis un assassin... Je l'ai tué... Tu te rends compte, Phill...

Phill, estomaqué, venait de comprendre que Julien ne plaisantait pas.

– Arrête tes bêtises ! Tu n'y es pour rien. C'est le hasard qui...

– Non ! C'est de ma faute. Je suis un assassin !

Puis il bouscula son copain et traversa la cour en courant.

Julien déambula dans les rues de Maisons-Laffitte. Il se sentait très sale. Misérable. Il aurait donné son âme pour revenir en arrière. Mais c'était impossible. Lambert était mort. Il ne voulait voir personne, il n'en avait pas la force. Ce soir, il ne rentrerait pas chez lui.

Il se sentait glisser au fond de l'abîme, un trou sans fin.

Le soleil commençait sa descente, Julien échoua non loin de chez lui. Depuis la mort de son père, il habitait avec sa mère près de la gare, dans une HLM.

Il s'installa dans une cave abandonnée du bâtiment F. C'était leur cachette, avec Phill, personne d'autre ne la connaissait.

Allongé sur le matelas posé à même le sol, les yeux grands ouverts, il fixait la faible lueur de l'ampoule qui pendait du plafond. Il essayait de ne penser à rien, sans y parvenir. Une image obsédante : son prof, couché dans un cercueil, le regardait en pleurant.

En fin d'après-midi, après le cours d'anglais, Phill le retrouva à la cave. Julien n'avait pas bougé. Perdu dans sa tristesse, il pleurait sans larmes.

– Allez, Juju, remue-toi !

– Laisse-moi, avait répondu Julien de sa drôle de voix triste.

– Ta mère va s'inquiéter...

– Demain, j'irai me dénoncer à la police.

– Tu es complètement taré! Reviens sur la terre. Tu n'y es pour rien, dans cette mort.

Julien se releva et prit gentiment son copain par les épaules.

– N'insiste pas, Phill. Je sais ce que j'ai fait. Trouve-moi l'adresse de Lambert.

– Hou! là, là!... Je sens venir la grosse bêtise.

– Laisse béton, c'est mes histoires.

3

Phill était revenu une heure plus tard avec une pizza et une bou-teille de Coca. Julien tournait en rond dans sa cachette et, dès que Phill eut franchi la porte, il le questionna sans lui laisser le temps de poser les provisions.

– Tu as l'adresse ?

– C'est bien Alain son prénom ? (Julien acquiesça d'un signe de tête.) Parce que des Lambert, dans le coin, il y en a une tapée... Mais un seul avec un prénom commençant par A. C'est peut-être le nôtre ?

– Je verrai bien sur place, murmura Julien d'un ton mystérieux.

– Parce que tu vas...

Julien, le doigt devant la bouche, fit « chut ». Phill comprit que son copain voulait être seul pour régler son problème de conscience.

– Allez, salut !

Et il s'en alla, laissant Julien seul avec ses démons.

Julien avala la moitié de la bouteille de Coca sans toucher à la pizza, maintenant tiédasse. Puis il sortit discrètement de l'immeuble pour chercher une cabine téléphonique en état de marche. Sa mère devait commencer à s'inquiéter. Au cinquième essai, il tomba sur une cabine à peine détériorée, une chance. Il se força à prendre une voix joyeuse pour la prévenir que ce soir il dormirait chez Phill, car ils avaient un exposé commun à présenter pour le lendemain après-midi.

Sa mère discuta pour le principe et l'embrassa très fort en lui recommandant de bien se laver les dents avant de se coucher.

La maison de Lambert se trouvait au numéro 47 de l'avenue Lautréamont. Cette avenue est en réalité une petite route qui serpente dans le bois de Maisons-Laffitte.

Il avait localisé l'endroit sur un plan mural, près de la gare. Plus de trois kilomètres en terrain connu. La nuit était tombée, les passants se faisaient rares. La lune presque pleine le dispensait de lampe de poche.

Julien s'était souvent promené dans le bois avec les copains ou avec sa mère. Mais de nuit, c'était une autre histoire. Les repères disparaissaient et les formes semblaient animées. Tant de rumeurs circulaient sur cette forêt !

Il hésita devant la sonnette du numéro 47, puis dépassa le portail pour escalader un petit mur de pierres

disjointes. Il se retrouva dans la pro-
priété, étonné de découvrir un endroit
pareil. Eh bien ! il avait les moyens,
Lambert...

Il avança en direction de la maison
en se dissimulant derrière les arbres,
comme un Indien.

Le rez-de-chaussée était éclairé.

Julien, tête rentrée, dos courbé, se
glissa jusqu'à la porte-fenêtre. Il avait
décidé d'expliquer à la femme et aux
enfants de monsieur Lambert que tout
était de sa faute, et que...

En vérité, il ne savait pas très bien ce
qu'il allait leur dire, mais il avait besoin
de le faire.

4

Cela faisait bien dix minutes qu'il restait là, à épier, sans oser aller frapper à la porte. Personne ne se manifestait dans le salon pourtant éclairé.

Une porte, dans le fond, s'ouvrit.

Julien aperçut une silhouette qui lui sembla familière.

Ce pas traînant, ce dos voûté...

L'image se précisait.

C'était une hallucination.

LE FANTÔME DE LAMBERT ?

L'angoisse.

Julien se mordait l'intérieur des joues pour ne pas hurler. Il ferma les yeux, incapable du moindre mouvement. Le fantôme se trouvait maintenant à moins de trois mètres.

Julien ouvrit enfin les yeux... Puis il éclata de rire. Du soulagement plein les dents : CE N'ÉTAIT PAS LAMBERT. L'homme ne portait pas de moustaches.

Julien avait eu tellement peur qu'il s'était instantanément guéri de son sentiment de culpabilité. Envolée, la boule à l'estomac ! Maintenant, il n'avait plus du tout envie d'aller présenter ses excuses à la famille. Il avait eu son compte d'émotions fortes pour la journée.

Au moment où il s'apprêtait à quitter les lieux, la porte d'entrée s'ouvrit brusquement.

Une ombre fonça sur lui.

Julien sursauta, fit un bond de côté et détala à travers le jardin. Il avait cinq mètres d'avance sur son poursuivant, qui soufflait comme un accordéon asthmatique.

En passant le mur, il glissa et l'homme le rattrapa. Julien hurla pour alerter les voisins. Mais l'homme plaqua sa main sur la bouche de l'enfant épouvanté. Il le maintint fermement au sol puis le traîna jusqu'à la maison.

Il referma la porte d'entrée à double tour, un bruit sinistre.

Julien, recroquevillé sur le canapé, n'osait pas bouger. L'homme, sans prononcer une parole, tira tous les volets du salon et les verrouilla. Puis il s'installa dans un fauteuil en face de Julien qui tremblait de plus en plus.

Enfin, l'homme rompit le silence.

– Qu'est-ce que tu fais là ?

Sa voix ressemblait un peu à celle de Moustaches, en plus sèche. Il en fut troublé.

– Euh ! je... voulais... euh... rencontrer la famille de...

L'homme l'interrompit, presque menaçant :

– Alors, pourquoi t'es-tu sauvé comme un voleur ?

Julien hésita quelques instants avant de bafouiller :

– Euh... je vous avais pris pour mon professeur...

L'homme grimaça en lui faisant signe de continuer.

– Ben... c'est un peu vrai que vous lui ressemblez...

L'homme, l'air de plus en plus contrarié, se leva de son fauteuil, alluma une cigarette, nerveusement.

– Normal, c'est mon frère ! Mon frère jumeau.

Et il se tut.

Julien se sentait terriblement mal à l'aise. Très gêné de déranger ce monsieur au moment où il venait de perdre son frère, Julien cherchait des mots pour détendre l'atmosphère. L'homme, de nouveau installé dans le fauteuil, paraissait moins en colère devant l'embarras de l'enfant.

– Comment as-tu fait pour trouver cette adresse?

– Sur l'annuaire, monsieur.

L'homme haussa les épaules, un léger sourire adoucit son visage.

– Eh bien, tu as tout faux! Alain n'habite pas ici.

– Pourtant c'était écrit A. Lambert, sur le bottin!

– C'est logique, je m'appelle Antoine…
Bon, l'enquête est terminée. Il est temps
de rentrer chez toi.

D'un seul coup, Julien se sentit fatigué. Une folle envie de retrouver sa mère,
son lit et ses livres le poussait dehors.
Il s'avança vers le frère de Moustaches.

– Excusez-moi, m'sieur…

L'homme lui ébouriffa les cheveux
et l'entraîna vers le vestibule.

– Allez, ce n'est rien. Bonsoir, Julien.

« Bonsoir, JULIEN », avait dit
l'homme !

– Mais… comment connaissez-vous
mon prénom ?

L'homme était soudain devenu blême,
blanc comme une endive en hiver. Sans

réellement comprendre pourquoi, Julien se sentit en danger.

Et l'angoisse lui tomba dessus, comme un coup de pied qu'on n'a pas vu arriver.

Il était EN DANGER.

La peur lui noua l'estomac, au point qu'il eut envie de vomir.

Il essaya de se sauver, mais l'homme, plus rapide, bloqua l'accès de la porte. Puis il se dirigea vers Julien, le visage défait.

L'enfant, épouvanté, se mit à hurler.

L'homme l'attrapa fermement par le bras.

– Lâchez-moi… Vous êtes Lambert, j'ai tout compris !

Sans répondre, Lambert l'entraîna jusqu'au salon et l'installa à côté de lui sur le divan, sans lui lâcher le bras.

– Julien, écoute-moi.

– Non, je veux rentrer chez moi !

– Julien ! ne crie pas ou...

Lambert l'avait saisi par les épaules et le secouait comme un flipper.

Calmé, mais encore tremblant, Julien demanda d'une voix enrouée :

– Vous allez me tuer, moi aussi ?

Lambert parut choqué par la question.

– Arrête tes bêtises ou tu reprends une baffe !

5

Julien sentait les larmes monter. Il avait peur et ne comprenait rien.

Quelque chose clochait. Encore un piège?

– Laissez-moi partir, monsieur... Je vous en supplie...

– Je te le promets. Mais avant, tu vas m'écouter.

Julien était prêt à entendre n'importe quoi pourvu qu'on le laisse sortir.

Lambert, lui, avait l'air fatigué et aussi très triste.

– Tu as raison, je suis bien Alain Lambert, ton professeur de dessin...

Puis, de la même voix lasse :

– Et c'est mon frère Antoine qui est mort... d'une crise cardiaque. Alors j'ai pris sa place...

Julien, très intéressé par la tournure que prenait son aventure, avait l'impression de se trouver dans un film et d'en être le héros. Son cerveau tournait à vive allure. Et spontanément, comme une déduction logique à l'aveu de Lambert, il demanda :

– C'est pour l'argent, hein ?

– Quoi ? s'étonna le prof.

– Ben, que vous avez pris la place à votre frère ?

Lambert grimaça un pauvre sourire :

– Oh ! non, Julien ! Ce n'est pas pour l'héritage... D'ailleurs...

Puis il se tut. De longues minutes.

Julien n'avait plus peur. Sans savoir pourquoi, il sentait qu'il pouvait lui faire confiance. Qu'il ne risquait rien.

Lambert, toujours dans les nuages, des larmes au bord des yeux, se tordait les doigts.

Julien, assez ému, lui parla d'une voix douce, comme s'il s'adressait à un grand malade.

– Alors pourquoi, monsieur ?

Il dut répéter la question.

– Es-tu capable de garder un secret ?

– Oui, m'sieur.

– Julien, ne réponds pas à la légère...
C'est grave. Tu ne devras en parler à personne. Même pas à ta maman, ni à ton
meilleur ami.

– Je vous le jure, m'sieur.

Lambert se leva et marcha de long
en large en tirant comme un fou sur
sa cigarette. Il hésitait encore à se
confier.

Julien toussa à plusieurs reprises.

– Je vous écoute, monsieur.

– Je ne sais pas si...

Lambert s'installa dans le fauteuil,
en face de Julien. Il avait l'air bouleversé,
sa voix était cassée :

– Voilà! Mon frère, qui est veuf depuis l'année dernière, a une petite fille de huit ans. Elle s'appelle Mathilde. En ce moment, elle se trouve à l'hôpital, elle est très malade... Mon frère se savait atteint d'une maladie cardiaque qui risquait de l'emporter à tout moment. Alors, le mois dernier, quand Mathilde a été hospitalisée, il m'a demandé de le remplacer en cas de... coup dur. Pour la petite fille... Pour qu'elle ne soit pas confiée à un orphelinat... Tu comprends, Julien?

Lambert, incapable d'articuler un mot de plus, détourna son regard. Julien sentait qu'il allait pleurer. Alors il se pencha et prit la main du monsieur triste.

– Juré. Secret absolu.

6

Le lendemain matin au collège, Julien affichait une mine fatiguée mais joyeuse. Il retrouva Phill qui l'attendait avec le nouveau Rita Mitsouko sous le bras. Le sourire de Julien lui fit chaud au cœur.

– Alors ?

Julien haussa les épaules, l'air blasé.

– Bof! J'ai eu l'air d'un gros nul mais je suis devenu copain avec le frère de Lambert.

En fin d'après-midi, il retrouva son prof, dans sa voiture. Pardon, le frère de son prof!

– Franchement, je trouve que vous êtes mieux sans moustaches... Bon, où il se trouve, votre hosto?

– À Paris.

– Vous croyez qu'elle aime Rita Mitsouko, Mathilde?

– Je ne sais pas...

– M'sieur, pour l'autre jour, en classe... je m'excuse...

Un sourire malicieux éclaira le visage de Lambert.

– Faut avouer que tu m'as bien collé!

Du même auteur,
aux éditions Syros

Pour les plus grands :

Le Roi des menteurs, coll. « Souris noire », 2002, 2010

L'auteur

Figure marquante et inclassable du roman noir français, éditeur et scénariste, Patrick Mosconi est l'auteur d'une dizaine de romans noirs, blancs ou historiques, ainsi que de nombreux ouvrages pour la jeunesse.

Dans la collection
« Mini Syros Polar »

Loi n° 49-956 du 16 juillet 1949
sur les publications destinées à la jeunesse,
modifiée par la loi n° 2011-525 du 17 mai 2011.

Mise en pages : DV Arts Graphiques à La Rochelle.
N° d'éditeur : 10241607 – Dépôt légal : mars 2011
Achevé d'imprimer en janvier 2018
par Clerc (18200, Saint-Amand-Montrond, France).